Ce journal appartient à...

Prénom : Charlotte

Nom : Isambert

Surnom : lolo   Âge : 11

Adresse : 7559 rue Chateaubriant

Téléphone : 514-272-5045

Courriel : merola__28@hotmail.com

Date du début de tes vacances : 15 juin 2012

Camarades de vacances : cousins Pierre et Luca

Où iras-tu en vacances ? ~~en France~~ dans le sud

Dans quel pays est-ce situé ? en France

Quelle est la capitale de ce pays ? Paris

Qu'as-tu envie de faire pendant tes vacances ?

J'ai envie de : aider mon grand-père

J'ai envie de : me baigner

J'ai envie de : relaxer

J'ai très envie de : ~~bien manger~~ revoir mes cousins

J'ai absolument envie de : voir la maison l'ouer et de revoir mes grands-parents

Sommaire

Salut, je suis **Edgar** !
Je t'accompagnerai
au fil des pages.

Un petit mot pour les parents...

Comme un rêve, les vacances passent trop vite ! Grande source de surprises et d'émotions, elles gagnent à être consignées pour rester plus longtemps dans la mémoire d'un enfant.

C'est dans cet esprit que nous avons réalisé ce deuxième « Journal ». Il se veut un compagnon de vacances avec lequel votre enfant organise et décrit ses expériences avant, pendant et après ce moment privilégié où s'offrent à lui de nouveaux horizons. En écrivant, en dessinant et en collant des objets qu'il a glanés, il pourra créer « son » journal qui gardera quelques bribes de ses vacances « de rêve ».

De plus, pour stimuler et amuser votre enfant, nous lui avons composé un menu de devinettes, de jeux et d'activités qui abordent les langues, les sciences et les arts. Nous avons regroupé toutes les solutions en fin d'ouvrage et ajouté des exemples supplémentaires pour lui permettre de poursuivre par lui-même des exercices créatifs.

N'hésitez pas à prendre quelques minutes pour vous familiariser avec ce livre et déterminer comment vous comptez l'utiliser. La variété de ses activités ainsi que la grande place qu'il laisse aux enfants permettent un usage personnalisé et entraînant. À ce titre, sachez que les plus petits (6-7 ans) nécessiteront un certain accompagnement au départ tandis que les plus grands s'y retrouveront sans difficulté.

Bonnes vacances !

Les concepteurs

Marc Berger   et   **Pascal Biet**
Enseignant   Illustrateur et grand
à l'école primaire   enfant

Aide-mémoire

Que désires-tu mettre dans tes bagages?

Dans mes bagages, j'emporte : _____

_____

_____

_____

_____

_____

_____

_____

_____

_____

_____

As-tu pensé à prendre :

un **appareil photo** ? ☐

des **lunettes de soleil** ? ☐

ta **brosse à dents** ? ☐

ton **maillot de bain** ? ☐

un **petit sac à dos** ? ☐

un **jeu de cartes** ? ☐

un **imperméable** ? ☐

ton **pyjama** ? ☐

Les **4** qualités indispensables pour des vacances de rêve :

1 Patience

2 Bonne humeur

3 Curiosité

4 Endurance

Le lieu de mes vacances

Je m'en vais...

à la campagne. ☐

à la mer. ☐

à la montagne. ☐

en camping. ☐

chez une personne de ma famille. ☐

chez des amis. ☐

dans une résidence secondaire. ☐

en colonie de vacances. ☐

sur un bateau. ☐

dans un autre pays. ☐

_____ ☐

Écris ici l'adresse du lieu de tes vacances.
Si tu te déplaces, écris les adresses des différents lieux où tu séjournes.

Décris ici le lieu (ou les lieux) où tu passes tes vacances. Tu peux aussi dessiner ou tracer une carte.

Questions d'orientation

Dans quel pays es-tu ? État ? région ? province ? département ?

_____

_____

Es-tu au nord, au sud, à l'ouest ou à l'est de ton lieu de résidence habituel ?

_____

_____

Quelles sont les villes les plus proches du lieu de tes vacances ?

_____

_____

_____

Y a-t-il un lac ? une rivière ? un fleuve ? la mer ? Lesquels ?

_____

_____

_____

Y a-t-il une colline ? une montagne ? Lesquelles ?

_____

_____

_____

Y a-t-il autre chose ? un désert ? une île ? une gorge ?

_____

_____

Colle ou agrafe ici une carte de visite d'hôtel, de gîte ou de camping.

Colle ou agrafe ici une carte de visite d'hôtel, de gîte ou de camping.

Colle ou agrafe ici une carte de visite d'hôtel, de gîte ou de camping.

Itinéraire de vacances

Écris ici les noms des lieux que tu as traversés sans forcément t'y arrêter. Inscris-les dans l'ordre. Cette liste formera ce qu'on appelle un itinéraire, c'est-à-dire le chemin que tu as emprunté lors de ton voyage.

1. Départ

2.

3.

4.

5.

6.

7.

8.

9.

10.

11.

12.

13.

14.

15.

16.

17.

18.

19.

20.

21.

22.

Océan Atlantique

Océan Pacifique

Océan Indie

N
O E
S

Un peu de géographie

Ce monde a vraiment besoin de légendes ! Il n'y a que son eau qui soit déjà bleue. Choisis comment colorier les pays et les continents à l'aide de la banque de légendes que nous te proposons. Associe une couleur ou un motif (points, hachures, nuages, etc.) à une légende et reporte ce choix au bon endroit sur la carte.

Bien entendu, plusieurs légendes peuvent s'appliquer au(x) même(s) pays. Par exemple, tu peux colorier en orange les pays que tu aimerais visiter et dessiner un cœur sur les pays où tu connais quelqu'un. Ainsi, les pays où tu connais quelqu'un que tu aimerais visiter seront orange avec un cœur !

Océan Pacifique

Légendes	Couleur/ motif
Océans, mers et lacs	☐
Pays de l'Afrique	☐
Pays de l'Asie	☐
Pays des Amériques	☐
Pays de l'Europe	☐
Pays de l'Océanie	☐
Pays francophones	☐
Autre : _____	☐

Légendes	Couleur/ motif
Pays où j'habite	☐
Pays où je passe mes vacances	☐
Pays que j'aimerais visiter un jour	☐
Pays où je connais quelqu'un	☐
Pays voisins du mien	☐
Autre : _____	☐

Ces pages-ci sont particulièrement intéressantes. Elles te servent à rassembler, par catégories, les découvertes que tu auras faites durant toutes tes vacances. Comme un ou une scientifique, nomme, décris et dessine ces découvertes pour être capable de les faire connaître à d'autres pendant ou après tes vacances.

Observe les catégories que nous avons créées pour orienter tes recherches. Tu peux aussi inventer tes propres catégories car, en vacances, on ne sait jamais vraiment… ce qui nous attend !

Mes découvertes de vacances

« **Quatre** coquillages, **neuf** cailloux, **deux** fossiles, **douze** pièces de monnaie et **cinq** plumes d'oiseaux… » Voilà ce que Raphaël a rapporté de ses vacances l'année dernière. Cette année, il veut continuer ses collections en plus de rechercher de nouveaux objets à collectionner. Et toi ? Entoure parmi les mots suivants les choses que tu aimerais amasser en vacances et peut-être collectionner.

coquillages	petits savons d'hôtel	emballages d'aliments
cailloux	papiers de bonbons	pièces de monnaie
billets d'entrée de musée	tickets de caisse	pétales de fleurs
crayons souvenirs	plumes d'oiseaux	billets d'autobus ou de métro
napperons de restaurant	cartes de visite	Autre _____

Pour transporter tes trésors de voyage, préfères-tu les pochettes plastifiées ou les enveloppes cartonnées ? Penses-y avant ton départ.

Veille à respecter l'interdiction de cueillette, à chacun des endroits que tu visites, et ne déracine jamais les fleurs et les plantes. Renseigne-toi aussi auprès de tes parents sur les objets, les végétaux, les graines ou les insectes que tu n'as pas le droit de rapporter d'un pays étranger. Sinon, tu pourrais te les faire confisquer à la douane…

Monuments et musées

Tu as sûrement visité un musée (même un petit) ou vu au moins un monument (château, statue, édifice religieux, gratte-ciel, etc.). Inscris-les sur cette page.

Nom : _____

Description : _____

Où cela se trouve-t-il ? _____

Est-ce que j'aime ce lieu ?   OUI ☐   NON ☐

Nom : _____

Description : _____

Où cela se trouve-t-il ? _____

Est-ce que j'aime ce lieu ?   OUI ☐   NON ☐

Nom : _____

Description : _____

Où cela se trouve-t-il ? _____

Est-ce que j'aime ce lieu ?   OUI ☐   NON ☐

Nom : _____

Description : _____

Où cela se trouve-t-il ? _____

Est-ce que j'aime ce lieu ?   OUI ☐   NON ☐

Films

As-tu vu des films pendant tes vacances?

Titre du film : _____

_____

Est-ce que j'ai aimé?   OUI ☐   NON ☐

Titre du film : _____

_____

Est-ce que j'ai aimé?   OUI ☐   NON ☐

Titre du film : _____

_____

Est-ce que j'ai aimé?   OUI ☐   NON ☐

Spectacles et festivals

Note les titres de pièces de théâtre, concerts, carnavals, etc.

Titre du spectacle : _____

_____

Est-ce que j'ai aimé?   OUI ☐   NON ☐

Titre du spectacle : _____

_____

Est-ce que j'ai aimé?   OUI ☐   NON ☐

Titre du spectacle : _____

_____

Est-ce que j'ai aimé?   OUI ☐   NON ☐

Émissions de télévision

As-tu découvert des émissions de télévision que tu ne connaissais pas? Écris les titres ou colle le programme télé découpé dans un journal ou un magazine.

Activités physiques et sports

Les vacances, c'est aussi fait pour bouger ! Quelles activités physiques as-tu pratiquées ?

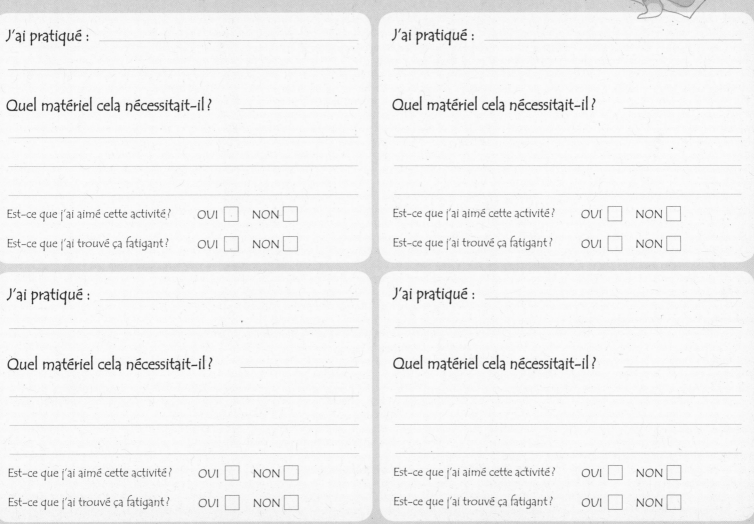

J'ai pratiqué : _____

_____

Quel matériel cela nécessitait-il ?

_____

_____

Est-ce que j'ai aimé cette activité ?　OUI ☐　NON ☐

Est-ce que j'ai trouvé ça fatigant ?　OUI ☐　NON ☐

J'ai pratiqué : _____

_____

Quel matériel cela nécessitait-il ?

_____

_____

Est-ce que j'ai aimé cette activité ?　OUI ☐　NON ☐

Est-ce que j'ai trouvé ça fatigant ?　OUI ☐　NON ☐

J'ai pratiqué : _____

_____

Quel matériel cela nécessitait-il ?

_____

_____

Est-ce que j'ai aimé cette activité ?　OUI ☐　NON ☐

Est-ce que j'ai trouvé ça fatigant ?　OUI ☐　NON ☐

J'ai pratiqué : _____

_____

Quel matériel cela nécessitait-il ?

_____

_____

Est-ce que j'ai aimé cette activité ?　OUI ☐　NON ☐

Est-ce que j'ai trouvé ça fatigant ?　OUI ☐　NON ☐

Plantes, fleurs et arbres

Sers-toi des espaces blancs pour dessiner ou coller des feuilles, fleurs ou herbes que tu as observées ou amassées. N'oublie pas de toujours respecter la nature et de ne jamais cueillir ou déraciner les plantes et les fleurs.

Nom : _____

Description : _____

Taille : _____

Nom : _____

Description : _____

Taille : _____

Nom : _____

Description : _____

Taille : _____

Nom : ————————————————

————————————————————

Description : ————————————

————————————————————

————————————————————

————————————————————

Taille : ——————————————

Nom : ————————————————

————————————————————

Description : ————————————

————————————————————

————————————————————

————————————————————

Taille : ——————————————

Nom : ————————————————

————————————————————

Description : ————————————

————————————————————

————————————————————

————————————————————

Taille : ——————————————

Sers-toi de cette règle pour mesurer tes découvertes.

0   1   2   3   4   5   6   7   8   9   10   11   12   13   14   15   16   17   18   19   20 cm

Jeux préférés

Quels sont tes jeux préférés en vacances ?
Note-les sur cette page et explique comment y
jouer.

Nom du jeu :

Règles :

Nom du jeu :

Règles :

Nom du jeu :

Règles :

Nom du jeu :

Règles :

Livres

Inscris ci-dessous le titre des livres que tu as lus en vacances.

Le titre est : _____

C'est écrit par : _____

Quel est le sujet du livre? : _____

_____

J'aime ce livre : pas vraiment ☐   un peu ☐   beaucoup ☐   énormément! ☐

Le titre est : _____

C'est écrit par : _____

Quel est le sujet du livre? : _____

_____

J'aime ce livre : pas vraiment ☐   un peu ☐   beaucoup ☐   énormément! ☐

Le titre est : _____

C'est écrit par : _____

Quel est le sujet du livre? : _____

_____

J'aime ce livre : pas vraiment ☐   un peu ☐   beaucoup ☐   énormément! ☐

Prénoms

As-tu entendu des prénoms que tu ne connaissais pas?
Écris-les ou fais-les écrire ici :

Bonjour! Je m'appelle HRDWY!

Animaux

Utilise ces deux pages pour décrire les animaux que tu as observés en vacances. Sers-toi des espaces blancs pour dessiner.

Nom : _____

_____

Description : _____

_____

_____

Nom : _____

_____

Description : _____

_____

_____

Nom : _____

_____

Description : _____

_____

_____

Idée !

Amuse-toi à inventer un animal complètement bizarre en mélangeant, par exemple, des parties d'animaux existants !
N'oublie pas de lui donner un nom !

Nom : _____

Description : _____

Nom : _____

Description : _____

Insectes et petites bêtes

En vacances, on rencontre des petites bêtes un peu partout... Décris-les!
Sers-toi des espaces blancs pour dessiner.

Nom : _____

_____

Description (forme, couleur, taille) :

_____

_____

_____

_____

Nom : _____

_____

Description (forme, couleur, taille) :

_____

_____

_____

_____

Nom : _____

_____

Description (forme, couleur, taille) :

_____

_____

_____

_____

Mots et expressions

Les vacances, c'est le moment parfait pour apprendre de nouveaux mots, qu'ils soient dans ta langue maternelle ou dans une langue étrangère... Il y a aussi des expressions rigolotes que tu n'avais peut-être jamais entendues avant...

Amuse-toi à les noter ou fais-les écrire, et indiques-en le sens.

J'ai entendu :   Ça veut dire :

le mot /
l'expression

le mot /
l'expression

le mot /
l'expression

le mot /
l'expression

le mot /
l'expression

Aliments

En vacances, on goûte souvent à de nouvelles choses! Parfois c'est un fruit exotique, parfois un plat traditionnel d'une autre région, parfois des bonbons aux couleurs bizarres... et parfois c'est bon, parfois non!

Note sur ces pages ce que tu as goûté de nouveau pendant tes vacances. Dans le petit carré, mets ton appréciation selon l'échelle suivante:

0: Beurk!
1: Pas terrible
2: Pas mal
3: Bon
4: Mmm! Vraiment très bon!
5: J'adore!

Nom: _____

Ingrédients: _____

_____

_____

_____

_____

Ma note: ☐

Est-ce que j'aimerais en manger de nouveau? OUI ☐ NON ☐

Nom: _____

Ingrédients: _____

_____

_____

_____

_____

Ma note: ☐

Est-ce que j'aimerais en manger de nouveau? OUI ☐ NON ☐

Nom : _____

_____

Ingrédients : _____

_____

_____

_____

_____   Ma note : ☐

_____

Est-ce que j'aimerais en manger de nouveau ?   OUI ☐   NON ☐

Nom : _____

_____

Ingrédients : _____

_____

_____

_____

_____   Ma note : ☐

_____

Est-ce que j'aimerais en manger de nouveau ?   OUI ☐   NON ☐

Nom : _____

_____

Ingrédients : _____

_____

_____

_____

_____   Ma note : ☐

_____

Est-ce que j'aimerais en manger de nouveau ?   OUI ☐   NON ☐

Nom : _____

_____

Ingrédients : _____

_____

_____

_____

_____   Ma note : ☐

_____

Est-ce que j'aimerais en manger de nouveau ?   OUI ☐   NON ☐

Sur cette double page, tu peux créer tes propres catégories
et y classer tes découvertes.

Le labyrinthe

La sortie du labyrinthe est la porte **2**. Pour y arriver, tu dois d'abord passer par la porte **1**. N'oublie surtout pas de prendre les clés (avec le bon numéro) en chemin. Sinon, tu ne pourras pas ouvrir les portes et tu devras retourner chercher les clés. Bonne chance !

Que faire si je m'ennuie ?

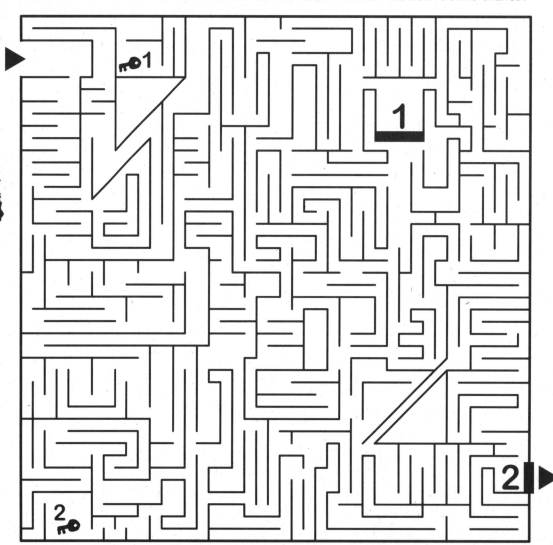

Entrée

Sortie

(Sers-toi d'un crayon effaçable pour pouvoir recommencer si tu te trompes.)

Trouve le mot

Cette activité te demande de replacer les lettres dans le bon ordre pour former un mot. Ce mot se rapporte à l'indice. Écris tes réponses dans les espaces prévus.

Indice:
NATURE

MERAPLI: _____

GONTENAM: _____

AUGEN: _____

TOREF: _____

STREDE: _____

TIRENES: _____

Indice:
PAYS

GNESAPE: _____

ESSUIS: _____

EUGILBEQ: _____

ANADAC: _____

FECRAN: _____

EILATI: _____

Indice:
ANIMAUX

VHEREC: _____

VIPEREU: _____

EMUTTEO: _____

ROUS: _____

SEVIRECES: _____

TOMMATER: _____

Indice:
OBJETS

VRESITTEE: _____

LONBAL: _____

HAPAUCE: _____

BLEMEPARIEM: _____

LALMIOT: _____

AAESNDL: _____

Les solutions des jeux se trouvent à la page 64.

Qui est Simon?

Je m'appelle Simon, et tu peux me reconnaître parce que je porte des lunettes. Je suis accompagné de mon amie Fatima, qui porte toujours un chapeau. En plus, j'ai les cheveux frisés et une barbe.

Trouve Simon parmi ces six personnes et colorie-le.

Le meilleur cadeau?

Aujourd'hui, c'est l'anniversaire de Jérémie! Il a 10 ans! Son oncle lui demande de choisir entre deux cadeaux.

Le premier, c'est qu'il reçoit 50$ aujourd'hui mais qu'il ne recevra plus rien avant ses 15 ans.

Le second, c'est qu'il reçoit 5$ cette année, mais que cette somme doublera à chaque anniversaire jusqu'au jour de ses 15 ans.

Selon toi, que devrait choisir Jérémie? Pourquoi?

Utilise cet espace pour faire tes calculs :

Les solutions des jeux se trouvent à la page 64.

Guirlandes de mots

Tu as besoin d'enchaîner quatre mots pour fabriquer une guirlande de mots. Mais pas n'importe lesquels! La dernière syllabe d'un mot doit être la première syllabe du mot qui vient après dans la guirlande.

Exemple :

carnet + nettoyé + yéti + tirer =

carnettoyétirer

Ces mots peuvent être des noms propres ou communs, des verbes, des adjectifs ou même des adverbes. Utilise des mots qui ont deux syllabes ou plus. Regarde l'exemple et les couleurs des syllabes pour bien comprendre. C'est le son de la syllabe qui compte plus que son écriture.

À la fin, écris le long mot bizarre qui forme la guirlande et essaie de le dire à voix haute. Il contient tes quatre mots réunis en un seul!

D'autres exemples :

maïs + hisser + serré + réveil =
mahisserréveil

ballon + longtemps + température + requin =
ballongtempératurequin

L'alphabet du voyageur

On voit beaucoup de choses quand on bouge! Chaque joueur essaie de nommer des objets qu'il voit en suivant l'ordre alphabétique. Le jeu commence quand quelqu'un nomme quelque chose qui commence par la lettre A (ex. : autobus). Ça lui donne un point. Ensuite, la première personne qui dit un mot qui commence par B (ex. : balcon) gagne un point. Et ainsi de suite jusqu'à Z.

Ce jeu peut se jouer seul si l'on ne compte pas les points. Il est permis de sauter des lettres.

Mots croisés

Horizontalement

1. Repas en plein air.
2. J'ouvre la serrure.
3. Liquide blanc et bon. / Une étendue d'eau douce.
4. C'est là que je plante la tente. / Bonne action.
5. Je suis dans l'eau de mer. / Un bout de terre qui émerge de l'eau.
6. Nouvelle.
7. Je sers à dire plus. / Je peux y voir des animaux de partout.
8. Un grand oiseau qui chasse très bien.
9. Elles commencent à la fin des classes.
11. J'efface ou je suis mâchée. / Qui n'est plus mouillée.
12. Une note de musique. / Une autre note de musique.

Verticalement

1. J'accueille les gens qui aiment jouer dans l'eau.
2. Bizarre.
3. Un grand oiseau qui ne vole pas mais qui court vite.
4. Beaucoup de bruit.
5. J'accueille la messe, les baptêmes et les mariages.
6. J'ai quatre pattes et un cri spécial. / Le capitaine de l'équipe ou du restaurant.
7. Maison ronde en neige.
8. De l'eau dans le désert.
10. Je viens pendant l'orage. / Je suis glissante.
11. Après le sol.
12. Je sers à grimper. / Morgane ou Clochette.

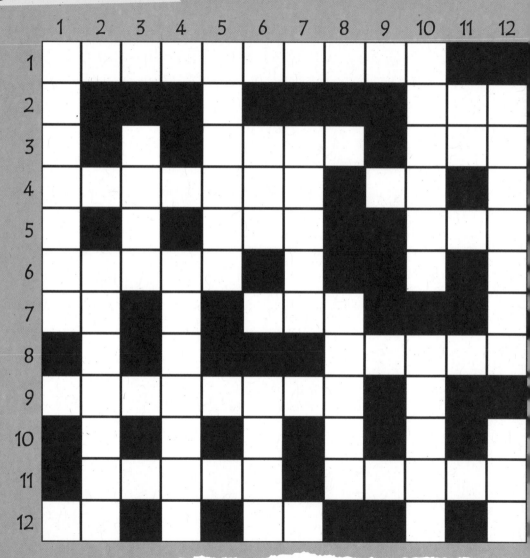

Les solutions des jeux se trouvent à la page 64.

Mes chansons de vacances

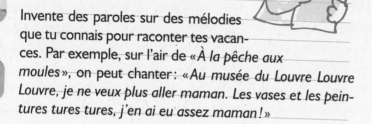

Invente des paroles sur des mélodies que tu connais pour raconter tes vacances. Par exemple, sur l'air de «À la pêche aux moules», on peut chanter: «Au musée du Louvre Louvre Louvre, je ne veux plus aller maman. Les vases et les peintures tures tures, j'en ai eu assez maman!»

Tu ne sais pas quelle mélodie choisir? Essaie avec «Frère Jacques», «Au clair de la lune», «Vive le vent» ou encore des musiques de publicités ou d'émissions télévisées que tu aimes bien.

Je continue l'image

Pour les amateurs de dessin, voici une idée toute simple mais amusante. Premièrement, trouve une image que tu aimes. Cherche dans des magazines ou des journaux ou achète une carte postale. Colle-la ensuite au centre d'une page blanche plus grande et continue l'image en dessinant jusqu'à ce que la page soit pleine.

La bouteille russe

Tu peux facilement fabriquer ce jeu d'adresse avec deux, trois ou quatre petites bouteilles d'eau en plastique. Il faut d'abord en mettre une de côté pour la garder intacte. Ensuite, découpe le fond des autres et empile-les une à une par-dessus celle mise de côté. Laisse une dizaine de centimètres entre les goulots avant de coller solidement le bas des bouteilles avec du ruban adhésif. Le jeu est prêt!

1. 2. 3.

Pour jouer, tiens-toi debout devant ta bouteille russe qui est sur le sol. Laisse tomber des cailloux, un par un, en visant le goulot de la bouteille. Si le caillou se rend jusqu'au fond de la bouteille qui touche le sol, tu as réussi!

La gymnastique de l'index

Pour pratiquer la gymnastique de l'index, tu dois lever un de tes poings à la hauteur de ton menton, puis lever ton index vers le haut.

1. Plie l'index pour que ta jointure forme un angle droit (comme le coin d'une feuille en papier).
2. Étends l'index jusqu'à ce que ton ongle passe complètement par-dessus ton pouce.
3. Refais les étapes à l'envers, puis à l'endroit, et ainsi de suite, pour bien enchaîner les mouvements.

On réussit le jeu quand on peut faire les gestes rapidement et sans regarder sa main.

Pour pousser l'exercice un peu plus loin, tu peux jouer avec les deux poings en même temps. Et il y a aussi la gymnastique de l'auriculaire (le petit doigt), mais ça, c'est un défi d'expert!

Statistiques

Au cours de tes vacances, tu auras l'occasion d'observer le lieu où tu te trouves et ses particularités. Par exemple, y a-t-il beaucoup de fermes dans les alentours? Combien? Combien de bateaux as-tu vus depuis le début de ton voyage? En faisant cet exercice amusant, tu vas certainement remarquer des choses étonnantes! Utilise ton imagination et note tes observations. Tu peux utiliser les pages 24 et 25.

Quelques idées de statistiques amusantes

1. Le nombre de chevaux que tu as vus en une semaine.
2. La couleur des maisons la plus courante dans la région où tu passes tes vacances.
3. Le nombre de librairies que tu as vues en trois jours.
4. Les couleurs de voitures les plus populaires entre le départ de la maison et l'arrivée sur le lieu de tes vacances.

Dans ton cahier, note les résultats, avec les dates et le nom des lieux.

Sudokus

Écris dans chaque petite case vide un chiffre de 1 à 9. On retrouve, dans chaque colonne, chaque rangée et chaque région de 3 cases sur 3 cases, tous les chiffres de 1 à 9. On ne doit jamais répéter un chiffre dans une même colonne, rangée ou région.

Les solutions des jeux se trouvent à la page 64.

Sudoku 1

7		5	6			3	2	8
	6			9			7	3
1	3		2	7		6	5	4
4	8		9	5	6			2
2			7		1	4	3	9
	7			2		8	6	
6			1			5		7
	1		4	9			2	6
	2		8			5	9	4

Sudoku 2

8	4		6	5				
	9	1		7			3	
3			9		2	6		4
	6	7	3				4	
5		8	2	4	9			7
	3			5	2	1		
		4		2				3
7	2		5			8	9	
	5			9	7	4		

Sudoku 3

3		6			8	1		5
	1			5			3	7
4		8	3		7	2	6	
6	3	1	2			7		4
	9			8	3	6		
8			1	7			5	
		5		4		3		
9			7		2		1	
	8	2	5			1	4	9

Un hélicoptère en papier

Sur une feuille de papier, trace un rectangle de 15 cm de longueur sur 5 cm de largeur. Après avoir découpé ton rectangle, donne un coup de ciseaux de 5 cm au milieu de la largeur. Ces deux petites «jambes», plie-les chacune de leur côté pour former les hélices de ton hélicoptère. Ensuite, à l'autre bout du rectangle, fais un pliage en accordéon d'au moins 5 petits plis. Comme dernière étape, attache un poids (un petit trombone par exemple) au bas du pliage en accordéon.

Grimpe sur une chaise ou trouve un endroit plus haut pour lâcher ton hélicoptère. Si tu veux le décorer, utilise préférablement des crayons de bois.

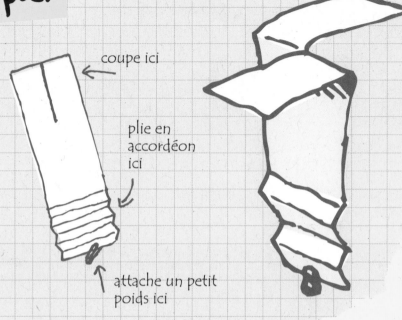

coupe ici

plie en accordéon ici

attache un petit poids ici

Le jeu des deux mots

Plage!

euh... Skis?

Pour ce jeu, il faut être au moins deux. La première personne dit un mot (n'importe lequel), et la seconde personne doit répondre immédiatement, par un seul mot, ce qui lui passe par la tête en entendant ce mot. Par exemple, si je dis «vacances», que réponds-tu?

On change l'ordre des joueurs après une douzaine de mots. Les résultats peuvent être étonnants.

La toupie qui s'arrête

Ce jeu s'adresse aux gens habiles et patients. Commence par prendre une pièce de monnaie. Pose-la debout sur une surface lisse et tiens-la avec un doigt (l'index de préférence). Pour la faire tourner, donne un petit coup rapide avec l'index de ton autre main. Ensuite, essaie d'arrêter la pièce avec ton doigt sans la faire tomber.

La bille et la BD

Ce jeu d'équilibre te demande de garder une bille sur une bande dessinée à couverture rigide le plus longtemps possible, tout en marchant. D'une main, tu tiens la BD par le dessous et de l'autre tu poses la bille au centre. Ensuite, tu marches et tu essaies de garder la bille sur la BD! On peut aussi le faire en restant assis.

J'influence la réponse

Le but de ce jeu est de piéger une autre personne en lui faisant répondre une bêtise. Par exemple, demande plusieurs fois à quelqu'un «C'est quelle couleur, ça?» en touchant quelque chose de blanc. Ensuite, demande-lui : «Qu'est-ce que ça boit, une vache?» Généralement, les gens répondent que la vache boit du lait… Alors, tu dis : «Meuh non, une vache boit de l'eau mais donne du lait!»

Une autre façon d'y arriver est de lui faire répéter une dizaine de fois le mot «fourchette» puis de lui demander : «Avec quoi manges-tu ta soupe?» Si la personne répond «Avec une fourchette», tu as réussi à la piéger!

Mon journal

Comment remplir mon journal ?

Les pages qui suivent s'intitulent « Aujourd'hui, c'est le... ». Elles t'invitent à raconter tes vacances en toute liberté !

Profites-en, ce sont TES pages; tu pourras y raconter chacune de tes journées en détail, y coller des photos, des billets de transport en commun, des tickets de caisse, des timbres, faire des dessins, des empreintes, ou même coller des feuilles d'arbres que tu as trouvées...

Regarde l'explication ci-contre pour bien comprendre comment remplir ces pages...

JOURNALISTE DE VaCances

Qui était là?

Que s'est-il passé?

Où est-ce arrivé?

Quand est-ce arrivé?

Pourquoi est-ce arrivé?

Journaliste de vacances

Quand apparaît cette petite capsule, prends ton crayon, c'est toi le ou la journaliste!

Si tu es témoin d'un événement surprenant ou amusant, note-le rapidement en répondant aux questions déjà inscrites :

1. Qui était là ?
2. Que s'est-il passé ?
3. Où est-ce arrivé ?
4. Quand est-ce arrivé ?
5. Pourquoi est-ce arrivé ?

Note bien l'heure et la date exactes.
Ton journal de vacances te permettra de toujours rester à l'affût !

Coche selon le temps qu'il fait et indique la température minimale (la plus froide) et la température maximale (la plus chaude) de la journée.

 soleil pluie vent brouillard

nuages arc-en-ciel orage neige

Dessine sur les horloges des aiguilles indiquant l'heure de ton lever et l'heure de ton coucher.

N'oublie pas d'inscrire la date ici !

Coche ici les moyens de transport utilisés pendant la journée :

 voiture autobus vélo

train avion bateau

44 Aujourd'hui, c'est le mardi 23 juillet

Question — Sais-tu ce que fabrique un apiculteur? (réponse à la page 64)

L'heure de mon lever : L'heure de mon coucher :

Météo :

Moyens de transport utilisés :

Autre : trottinette

Température minimale 14° Température maximale 27°

✗ Voyais-tu des étoiles hier soir ?
✗ As-tu fait du sport aujourd'hui ?
✗ As-tu passé une bonne matinée ?

Je suis allé me baigner dès le matin dans la mer… elle n'était pas chaude ! Mais au moins, j'ai pu voir des crevettes qui nageaient, tellement l'eau était claire ! L'après-midi, Caroline et moi avons fait un beau château de sable, très très grand, avec des tours et des fenêtres partout… mais Maman nous a dit de rentrer à l'ombre car nous risquions d'attraper des coups de soleil !

45

J'ai vu un poisson incroyable ! De toutes les couleurs !

Sers-toi de ces suggestions si tu ne sais pas trop quoi raconter… Elles te donneront des idées pour le récit de ta journée.

Les lignes t'aideront à écrire droit…

… et les carreaux seront utiles pour tes dessins !

Des petites questions rendront tes vacances encore plus intéressantes !

Aujourd'hui, c'est le _____ / ____ / _____
jour de la semaine   jour   mois

L'heure de mon lever:

L'heure de mon coucher:

Météo:

Température minimale:

Température maximale:

Moyens de transport utilisés:

Autre:

✖ Comment s'est passé ton départ pour les vacances?

✖ As-tu trouvé le voyage trop long?

✖ Quels sont les souvenirs que tu veux garder de cette journée?

Question

Pourquoi le savon glisse-t-il quand il est mouillé?

(réponse à la page 64)

Aujourd'hui, c'est le

_____ / _____ / _____
jour de la semaine   *jour*   *mois*

L'heure de mon lever: L'heure de mon coucher:

Météo:

Température minimale : _____

Température maximale : _____

Moyens de transport utilisés :

Autre : _____

✖ **As-tu vu des animaux aujourd'hui ?**

✖ **As-tu acheté quelque chose aujourd'hui ?**

✖ **As-tu vu des enfants qui jouaient aujourd'hui ?**

JOURNALISTE DE VaCances

Qui était là ? _____

_____

Que s'est-il passé ? _____

_____

_____

_____

_____

Où est-ce arrivé ? _____

_____

Quand est-ce arrivé ? _____

_____

Pourquoi est-ce arrivé ? _____

_____

_____

_____

Aujourd'hui, c'est le

jour de la semaine / _jour_ / _mois_

L'heure de mon lever:

L'heure de mon coucher:

Météo:

 ☐   ☐   ☐ ≈≈≈ ☐

 ☐   ☐   ☐   ☐

Température minimale: _____

Température maximale: _____

Moyens de transport utilisés:

🚐 ☐ 🚌 ☐ 🚲 ☐

🚃 ☐ ✈ ☐ ⛴ ☐

Autre: _____

Rire !

Sais-tu pourquoi les ours du pôle Nord ne grimpent pas aux arbres?

... parce qu'il n'y a pas d'arbres au pôle Nord!

Aujourd'hui, c'est le _____ / ____ / _____

L'heure de mon lever:	L'heure de mon coucher:

Météo:

Température minimale: _____

Température maximale: _____

Moyens de transport utilisés:

Autre: _____

Question

Quelle est la distance entre la Terre et la Lune?

(réponse à la page 64)

Aujourd'hui, c'est le

_____ / ____ / _____
jour de la semaine   *jour*   *mois*

L'heure
de mon lever :

L'heure
de mon coucher :

Météo :

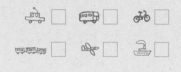

Température
minimale : _____

Température
maximale : _____

Moyens de transport utilisés :

Autre : _____

✖ Voyais-tu des étoiles hier soir ?

✖ As-tu fait du sport aujourd'hui ?

✖ As-tu passé une bonne matinée ?

Question

Sais-tu ce que fabrique
un aviculteur ?

(réponse à la page 64)

Aujourd'hui, c'est le

jour de la semaine / _jour_ / _mois_

L'heure de mon lever :

L'heure de mon coucher :

Météo :

Température minimale : _____

Température maximale : _____

Moyens de transport utilisés :

Autre : _____

✖ **As-tu lu un livre aujourd'hui ?**

✖ **As-tu nagé aujourd'hui ?**

✖ **Est-ce que la moitié de tes vacances est déjà écoulée ?**

JOURNALISTE DE VACANCES

Qui était là ? _____

_____

Que s'est-il passé ? _____

_____

_____

_____

_____

Où est-ce arrivé ? _____

_____

Quand est-ce arrivé ? _____

_____

Pourquoi est-ce arrivé ? _____

_____

_____

_____

Aujourd'hui, c'est le _____ / _____ / _____

jour de la semaine / *jour* / *mois*

L'heure de mon lever:

L'heure de mon coucher:

Météo:

Température minimale : _____   Température maximale : _____

Moyens de transport utilisés:

Autre : _____

Rire!

Sais-tu pourquoi le water-polo n'est jamais devenu un sport populaire auprès des poissons?

... ils n'osaient pas s'approcher des filets!

Aujourd'hui, c'est le _____ / ____ / _____

jour de la semaine   *jour*   *mois*

L'heure de mon lever :	L'heure de mon coucher :

Météo :

Température minimale : _____

Température maximale : _____

Moyens de transport utilisés :

Autre : _____

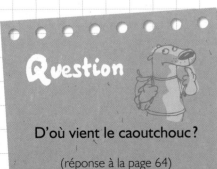

Question

D'où vient le caoutchouc ?

(réponse à la page 64)

Aujourd'hui, c'est le

jour de la semaine / _jour_ / _mois_

L'heure de mon lever :

L'heure de mon coucher :

Météo :

Température minimale :

Température maximale :

Moyens de transport utilisés :

Autre : _____

✖ As-tu eu peur aujourd'hui ?

✖ Est-ce qu'on t'a donné un surnom depuis le début des vacances ?

✖ Qu'as-tu vu de beau aujourd'hui ?

Question

**Combien de bras
peuvent avoir les
étoiles de mer?**

(réponse à la page 64)

Aujourd'hui, c'est le _____ / _____ / _____
jour de la semaine   *jour*   *mois*

L'heure de mon lever:

L'heure de mon coucher:

Météo:

Température minimale : _____

Température maximale : _____

Moyens de transport utilisés:

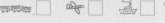

Autre : _____

✖ **As-tu fait de beaux rêves cette nuit?**

✖ **As-tu attrapé un coup de soleil aujourd'hui?**

✖ **As-tu téléphoné à quelqu'un que tu aimes bien aujourd'hui?**

Journaliste de Vacances

Qui était là ? _____

_____

Que s'est-il passé ? _____

_____

_____

_____

_____

Où est-ce arrivé ? _____

_____

Quand est-ce arrivé ? _____

_____

Pourquoi est-ce arrivé ? _____

_____

_____

_____

Aujourd'hui, c'est le

_____ / ____ / _____

jour de la semaine   jour   mois

L'heure de mon lever :

L'heure de mon coucher :

Météo :

 ☐   ☐   ☐ ☐

 ☐ ☐   ☐ ☐

Température
minimale : _____

Température
maximale : _____

Moyens de transport utilisés :

 ☐ ☐ ☐

 ☐ ☐ ☐

Autre : _____

Question

Que fabrique un acériculteur ?

(réponse à la page 64)

Aujourd'hui, c'est le

_____ / _____ / _____
jour de la semaine   *jour*   *mois*

L'heure de mon lever :	L'heure de mon coucher :

Météo :

Température minimale : _____

Température maximale : _____

Moyens de transport utilisés :

Autre : _____

Rire !

Que se passe-t-il si tu lances un caillou rouge dans la mer Noire?

¡elnoɔ lI

Question

J'ai des milliers d'yeux et je vole. Qui suis-je?

(réponse à la page 64)

Aujourd'hui, c'est le

jour de la semaine ___/___ _jour_ ___/___ _mois_

L'heure de mon lever: **L'heure de mon coucher:**

Météo:

Température minimale : _____

Température maximale : _____

Moyens de transport utilisés:

Autre : _____

✖ **As-tu regardé un film ou la télévision aujourd'hui ?**

✖ **As-tu perdu quelque chose aujourd'hui ?**

✖ **As-tu envoyé des lettres ou des cartes postales depuis le début de tes vacances ? À qui ?**

Question

Pourquoi certains fromages ont-ils des trous?

(réponse à la page 64)

Aujourd'hui, c'est le

_____ / ____ / _____
jour de la semaine   *jour*   *mois*

L'heure de mon lever :

L'heure de mon coucher :

Météo :

 ☐ ☐ ☐ ～～～ ☐

 ☐ ☐ ☐ ⛄ ☐

Température minimale : _____

Température maximale : _____

Moyens de transport utilisés :

 ☐ 🚌 ☐ 🚲 ☐

 ☐ ✈ ☐ ⛴ ☐

Autre : _____

✖ Qu'est-ce que tu as mangé aujourd'hui ?

✖ Qu'est-ce que tu as aimé le plus aujourd'hui ?

✖ Qu'est-ce que tu as aimé le moins aujourd'hui ?

JOURNALISTE DE VACANCES

Qui était là ? _____

_____

Que s'est-il passé ? _____

_____

_____

_____

_____

Où est-ce arrivé ? _____

_____

Quand est-ce arrivé ? _____

_____

Pourquoi est-ce arrivé ? _____

_____

_____

_____

Le bilan de mes vacances

Les meilleurs moments

Qu'est-ce qui s'est passé que tu aimerais raconter lors de ton retour ? À tes camarades ? À ta famille ? À ton enseignant ou enseignante ?

Note ci-dessous les 6 meilleurs moments de tes vacances, en les classant par ordre de préférence (le numéro 1 étant ton préféré).

1

2

3

4

5

6

Mes plus grosses bêtises

Si, si ! Tu en as fait, c'est sûr !
Note-les ci-dessous.

Les pires moments

Ça peut arriver, même en vacances !

De la pluie pendant cinq jours en camping, un hôtel pas confortable, une grippe, une panne de voiture...

Le pire est le numéro 1.

1

2

3

4

Mes nouveaux amis

Si tu t'es fait de nouveaux amis pendant tes vacances, écris leurs noms et adresses sur cette page. Et sur la page de droite, ils pourront t'écrire ou te dessiner quelque chose...

Nom : _____

Adresse : _____

_____

_____

Téléphone : _____

Courriel : _____

Nom : _____

Adresse : _____

_____

_____

Téléphone : _____

Courriel : _____

Nom : _____

Adresse : _____

_____

_____

Téléphone : _____

Courriel : _____

Nom : _____

Adresse : _____

_____

_____

Téléphone : _____

Courriel : _____

Solutions des jeux

Le labyrinthe (page 26)

Trouve le mot (page 27)

Indice : Nature
MERAPLI : PALMIER
GONTENAM : MONTAGNE
AUGEN : NUAGE
TOREF : FORÊT
STREDE : DÉSERT
TIRENES : SENTIER

Indice : pays
GNESAPE : ESPAGNE
ESSUIS : SUISSE
EUGILBEQ : BELGIQUE
ANADAC : CANADA
FECRAN : FRANCE
EILATI : ITALIE

Indice : Animaux
VHEREC : CHÈVRE
VIPEREU : PIEUVRE
EMUTTEO : MOUETTE
ROUS : OURS
SEVIRECES : ÉCREVISSE
TOMMATER : MARMOTTE

Indice : Objets
VRESITTEE : SERVIETTE
LONBAL : BALLON
HAPAUCE : CHAPEAU
BLEMEPARIEM : IMPERMÉABLE
LALMIOT : MAILLOT
AAESNDL : SANDALE

Qui est Simon? (page 28)

Simon est la troisième personne en partant de la gauche.

Le meilleur cadeau? (page 28)

Jérémie devrait choisir le second cadeau, et de loin!
Si les 5$ sont doublés chaque année, il recevra 10$
à 11 ans, 20$ à 12 ans, 40$ à 13 ans, 80$ à 14 ans
et 160$ à 15 ans! Le jour de ses 15 ans, il aura reçu
(5+10+20+40+80+160=) 315$!
Si son oncle ne change pas d'avis, bien sûr!

Mots croisés (page 30)

Sudokus (page 33)

Sudoku 1

7	4	5	6	1	3	2	9	8
8	6	2	5	4	9	1	7	3
1	3	9	2	7	8	6	5	4
4	8	3	9	5	6	7	1	2
2	5	6	7	8	1	4	3	9
9	7	1	3	2	4	8	6	5
6	9	4	1	3	2	5	8	7
5	1	8	4	9	7	3	2	6
3	2	7	8	6	5	9	4	1

Sudoku 2

8	4	2	6	5	3	1	7	9
6	9	1	4	7	8	5	3	2
3	7	5	9	1	2	6	8	4
2	6	7	3	8	1	9	4	5
5	1	8	2	4	9	3	6	7
4	3	9	7	6	5	2	1	8
9	8	4	1	2	6	7	5	3
7	2	6	5	3	4	8	9	1
1	5	3	8	9	7	4	2	6

Sudoku 3

3	7	6	9	2	8	1	4	5
2	1	9	6	5	4	8	3	7
4	5	8	3	1	7	2	6	9
6	3	1	2	9	5	7	8	4
5	9	7	4	8	3	6	2	1
8	2	4	1	7	6	9	5	3
1	6	5	8	4	9	3	7	2
9	4	3	7	6	2	5	1	8
7	8	2	5	3	1	4	9	6

Réponses aux questions d'Edgar :

Question de la page 39 : Une partie du savon est hydrophobe (ou lipophile). Dès qu'il touche l'eau, il veut aller ailleurs. Comme s'il avait peur de l'eau.

Question de la page 43 : En moyenne, c'est 384 400 kilomètres.

Question de la page 45 : Un apiculteur élève des abeilles pour faire du miel.

Question de la page 49 : Il vient d'arbres tropicaux comme les hévéas.

Question de la page 51 : Elles en ont souvent 5, mais certaines espèces en ont 12 ou même 18.

Question de la page 54 : Un acériculteur fabrique du sirop d'érable.

Question de la page 55 : Je suis une mouche.

Question de la page 57 : Pendant que le fromage mûrit, il produit un gaz qui ne peut s'échapper, et qui reste en prenant un peu de place.

Conception graphique et illustrations
Pascal Biet

Conception, recherche et rédaction
Marc Berger

Direction éditoriale
Olivier Gougeon

Correction
Pierre Daveluy
Marie-Josée Guy

Montage de la page couverture
Marie-France Denis

Remerciements

L'auteur aimerait remercier : Sophie Bellemare, Renaude Belzile, Étienne Bilodeau, Laurence Cauchy, Nathan Cayo, Laurine Chagnon, Amélie Chapdelaine, Charlie Constantineau, Maggie Coulombe-Longval, Gwendoline Dommanget, Marjorie Doucet, Anne-Julie Dubé, Camille Frappier-Fortin, Delphine Germain, Kareen Gresseau, Charles Kasz, Olivier Lajeunesse, Félix Laliberté, Véronique Leblanc, Félix Lefebvre, Victoria Morisset, Alicia-Ann Pauld, Sandrine Pearson, David Piché, Noémie Riopel, Jonathan Roy, Mia Salera-Simard, Gabrielle Ste-Marie, Hugo Tremblay et Julie Brodeur.

Catalogage avant publication de Bibliothèque et Archives nationales du Québec et Bibliothèque et Archives Canada

Berger, Marc

Journal de mes vacances, vol. 2
(Journal de voyage Ulysse)
Pour enfants.
ISBN 978-2-89464-794-3 (v. 1)
ISBN 978-2-89464-913-8 (v. 2)

1. Voyages - Guides - Ouvrages pour la jeunesse. 2. Jeux pour voyageurs - Ouvrages pour la jeunesse. 3. Livres en blanc - Ouvrages pour la jeunesse. I. Biet, Pascal. II. Titre. III. Collection.

G153.4.B47 2008   j910.2'02   C2008-940523-4

Guides de voyage Ulysse est membre de l'Association nationale des éditeurs de livres.

Loi n° 49-956 du 16 juillet 1949 sur les publications destinées à la jeunesse.

Imprimé sur papier Rolland Enviro 100, contenant 100% de fibres recyclées postconsommation.